D1539204

Die
Heinzelmännchen

von
August Kopisch

Bilder von
Beatrice Braun-Fock

Impressum:

Math. Lempertz GmbH
Hauptstraße 354
53639 Königswinter
Tel. 02223 / 90 00 36
Fax: 02223 / 90 00 38
info@edition-lempertz.de
www.edition-lempertz.de

Satz und Layout: Ralph Handmann

Printed in Czech Republik

Die Heinzelmännchen

von
August Kopisch

Bilder von
Beatrice Braun-Fock

Wie war zu Köln es doch vordem
mit Heinzelmännchen so bequem!
Denn war man faul, man legte sich
hinauf die Bank und pflegte sich.
Da kamen bei Nacht,
eh´man´s gedacht,
die Männlein und Schwärmten
und klappten und lärmten
und rupften und zupften
und hüpften und trabten
und putzten und schabten.
Und eh´ein Faulpelz noch erwacht,
war all sein Tagwerk bereits gemacht.

How good it was in old Cologne
When brownies helped in hearth and home!
If one felt lazy, one just lay
One's head on a bench, there to stay.
They came out at night
And kept out of sight:
Little brownies swarmed in,
And making a din,
They scurried
And hurried,
Set running and leaping
To scrubbing and sweeping.
Then when Lazybones stretched and yawned,
The day's work was done before it had dawned!

Die Zimmerleute streckten sich
hin auf die Spän´und reckten sich.
Indessen kam die Geisterschar
und sah, was da zu zimmern war,
nahm Meißel und Beil und die Säg´in Eil´:
Sie sägten und stachen
und hieben und brachen
berappten und kappten,
visierten wie Falken
und setzten die Balken.
Eh´sich´s der Zimmermann versah
klapp! stand das ganze Haus
schon fertig da.

When carpenters lay down to sleep,
Brownies silently in would creep.
At night the wee folk came to see
What carpenters' work was let be.
With hammer and saw,
Quick as a jackdaw,
They would notch and make cuts
And would lift up the struts.
Then they placed
And they spaced,
Using their eagle eyes,
Every beam made to size.
Faster than carpenters could look,
The whole house stood all finished, every nook!

Beim Bäckermeister war nicht Not,
die Heinzelmännchen backten Brot.
Die faulen Burschen legten sich,
die Heinzelmännchen regten sich
und ächzten daher
mit den Säcken schwer!
Und kneteten tüchtig
und wogen es richtig
und hoben und schoben
und fegten und backten
und klopften und hackten
Die Burschen schnarchten noch im
Chor:
Da rückte schon das Brot,
das neue, vor!

The baker, too, rested his head,
For brownies could also bake bread.
His lazy boys stretched out themselves;
In their place came those helpful elves
Strained under the packs
Of large, heavy sacks!
Brownies kneaded the dough
And they weighed it just so.
They sifted
And lifted,
Then they swept and they baked
And they chopped 'til they ached.
The bakers still snoring as one,
The fresh bread came out anyway, all done!

13

Beim Fleischer ging es just so zu:
Gesell und Bursche lag in Ruh´.
Indessen kamen die Männlein her
und hackten das Schwein die
Kreuz und Quer.
Das ging so geschwind,
Wie die Mühl´im Wind!
Die klappten mit Beilen,
die schnitzten an Speilen,
die spülten, die wühlten,
und mengten und mischten
und stopften und wischten.
Tat der Gesell die Augen auf:
wapp! hing die Wurst da schon
im Ausverkauf!

The butcher's shop needed a rest;
Master and boys had done their best.
It was then the brownies arrived,
Chopped the pig up from every side.
The work went so fast,
Like wind at full blast!
First the cleavers they swung,
Then the meat neatly hung.
Brownies sliced,
And they diced.
While some seasoned to taste,
Others stuffed and encased.
When the butcher opened an eye,
The sausage hung there, all ready to buy!

Beim Schenken war es so: es trank
der Küfer, bis er niedersank;
am hohlen Fasse schlief er ein,
die Männlein sorgten um den Wein
und schwefelten fein
alle Fässer ein
und rollten und hoben
mit Winden und Kloben
und schwenkten und senkten,
und gossen und panschten
und mengten und manschten.
Und eh´ der Küfer noch erwacht,
war schon der Wein geschönt und
fein gemacht!

With wine it was often the same:
The cooper would drink without aim.
Cask empty, the cooper asleep,
Brownies then would make wine to keep.
They sulphurized well
All the casks to fill.
Then they rolled and lifted
And they winched and shifted.
While swirling
And twirling,
Brownies poured and they splashed
And they mixed and they dashed.
When the cooper stirred where he lay,
The wine was already well on its way!

23

Einst hatt´der Schneider große Pein,
der Staatsrock sollte fertig sein,
warf hin das Zeug und legte sich
hin auf das Ohr und pflegte sich.
Da schlüpften sie frisch
in den Schneidertisch
und schnitten und rückten
und nähten und stickten
und faßten und paßten
und strichen und guckten
und zupften und rückten.
Und eh´mein Schneiderlein erwacht,
war Bürgermeisters Rock - bereits
gemacht.

A tailor once had some trouble:
A dress uniform, on the double!
He threw everything down and lay
With his head on a pile of hay.
The brownies came in
To stitch and to pin.
First they cut and they tacked
Both the front and the back,
Then they shaped
And they draped,
And they measured with tape,
Sewing up to the nape.
When the tailor woke in the morn,
The mayor's dress uniform could be worn!

Neugierig war des Schneiders Weib
und macht sich diesen Zeitvertreib:
streut Erbsen hin die and´re Nacht.
Die Heinzelmännchen kommen sacht;
eins fährt nun aus,
schlägt hin im Haus,
die gleiten von Stufen
und plumpen in Kufen,
die fallen mit Schallen,
die lärmen und schreien
und vermaledeien.

The tailor's wife was curious
And made the brownies furious.
She scattered some peas the next night
And gave the wee folk a huge fright:
One slipped and stumbled,
Then tripped and tumbled!
Down the stairs they all sail,
Some landing in a pail,
And they call
As they fall!
They screamed, oh, what a sight,
Cursing their awful plight!

Sie springt hinunter auf den Schall
mit Licht, husch husch husch -
verschwinden all´.

At the noise with a light she came,
But they were gone, gone for good,
all the same!

35

Oh weh! nun sind sie alle fort
und keines ist mehr hier am Ort!
Man kann nicht mehr wie sonsten ruh´n
man muss nun alles selber tun!
Ein jeder muss fein
selbst fleißig sein
und kratzen und schaben
und rennen und traben
und schniegeln und biegeln
und klopfen und hacken
und kochen und backen.
Ach, daß es noch wie damals wär´!
Doch kommt die schöne Zeit nicht
wieder her!

Oh my! Now the brownies have gone,
Not a single one left in town!
Now no one may rest as before;
Each must sweep at his own front door!
It's up to each one
To get his work done:
The cutting and sewing
And baking and mowing!
Clean the shop!
Wring the mop!
Do sawing and raking
And cooking and baking!
Oh, were it as it used to be!
But those glad times are over now, you see!